Pour Geraldine, Joe, Naomi,
Eddie, Laura et Isaac
M. R.

Pour Amelia
H. O.

Suite aux nombreuses demandes de nos lecteurs,
nous avons réussi à obtenir le droit d'utiliser la traduction d'origine de LA CHASSE À L'OURS,
réalisée en 1989 par Claude Lauriot Prévost,
que nous remercions vivement.

ISBN 978-2-211-05101-9

Titre de l'ouvrage original : « We're going on a bear hunt » (Walker Books Ltd)
Loi numéro 49 956 du 16 juillet 1949 sur les publications
destinées à la jeunesse : octobre 1998
Dépôt légal : septembre 2016
Imprimé en France par I.M.E. à Baume-les-Dames

La chasse à l'ours

Racontée par
Michael Rosen

Illustrée par
Helen Oxenbury

les lutins de l'école des loisirs
11, rue de Sèvres, Paris 6e

Nous allons à la chasse à l'ours.

Nous allons en prendre un très gros.

La vie est belle !

Nous n'avons peur de rien.

Oh, une prairie !
On dirait la mer.
On ne peut pas passer dessus.
On ne peut pas passer dessous.

Allons-y !
Il n'y a plus qu'à la traverser !

Flou flou !

Flou flou !

Flou flou !

Nous allons à la chasse à l'ours.

Nous allons en prendre un très gros.

La vie est belle !

Nous n'avons peur de rien.

Oh, une rivière !
Large et glacée.
On ne peut pas passer dessus.
On ne peut pas passer dessous.

Allons-y !
Il n'y a plus qu'à y plonger !

Splich splach !

Splich splach !

Splich splach !

Nous allons à la chasse à l'ours.

Nous allons en prendre un très gros.

La vie est belle !

Nous n'avons peur de rien.

Oh, de la boue !
Épaisse et collante.
On ne peut pas passer dessus.
On ne peut pas passer dessous.

Allons-y !
Il n'y a plus qu'à s'y enliser !

Plaf plouf !

Plaf plouf !

Plaf plouf !

Nous allons à la chasse à l'ours.
Nous allons en prendre un très gros.
La vie est belle !
Nous n'avons peur de rien.

Oh, une forêt !
Sombre et profonde.
On ne peut pas passer dessus.
On ne peut pas passer dessous.

Allons-y !
Il n'y a plus qu'à s'y enfoncer !

Hou hou !

Hou hou !

Hou hou !

Nous allons à la chasse à l'ours.
Nous allons en prendre un très gros.
La vie est belle !
Nous n'avons peur de rien.

Oh, de la neige !
Tourbillonnante et menaçante.
On ne peut pas passer dessus.
On ne peut pas passer dessous.

Allons-y !
Il n'y a plus qu'à l'affronter !

Criss criss !

Criss criss !

Criss criss !

Nous allons à la chasse à l'ours.
Nous allons en prendre un très gros.
La vie est belle !
Nous n'avons peur de rien.

Oh, une grotte !
Étroite et ténébreuse.
On ne peut pas passer dessus.
On ne peut pas passer dessous.

Allons-y !
Il n'y a plus qu'à l'explorer !

Petit petat !

Petit petat !

Petit petat !

MAIS QU'Y A-T-IL ?

Un museau brillant

Deux oreilles poilues !

Deux yeux perçants !

C'EST UN OURS !!!!

Vite ! Sortons de la grotte ! Petit petat ! Petit petat !

Retraversons la neige ! Criss criss ! Criss criss !

Retraversons la forêt ! Hou hou ! Hou hou !

Retraversons la boue ! Plaf plouf ! Plaf plouf !

Retraversons la rivière ! Splich splach ! Splich splach !

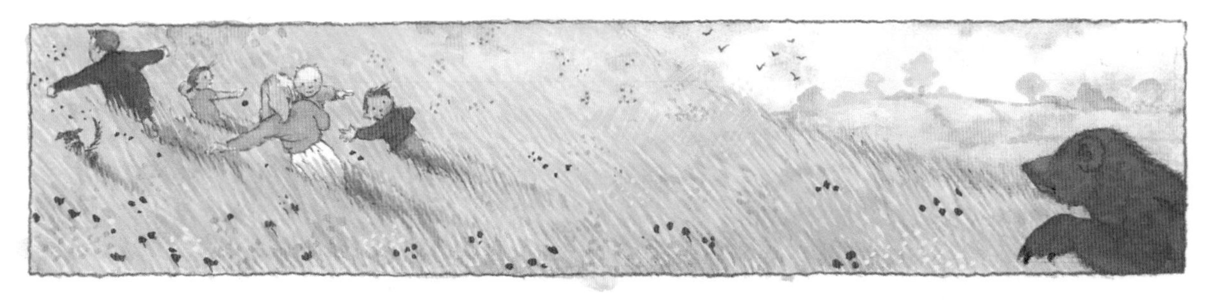

Retraversons la prairie ! Flou flou ! Flou flou !

Courons vers la porte.
Ouvrons la porte.
Grimpons l'escalier.

Malheur !
La porte n'est pas fermée.
Redescendons l'escalier.

Fermons la porte.
Vite remontons.
Vite dans la chambre.

Vite au lit.
Et sous les couvertures.
Enfin sauvés !

Nous n’irons plus jamais

à la chasse à l'ours.